# Connais-tu

## Maurice Richard

# Connais-tu ?

## Maurice Richard

Textes : Johanne Ménard
Illustrations et bulles : Pierre Berthiaume

ÉDITIONS
MICHEL
QUINTIN

Catalogage avant publication de Bibliothèque et Archives
nationales du Québec et Bibliothèque et Archives Canada

Ménard, Johanne, 1955-

Maurice Richard

(Connais-tu?)

Pour les enfants de 8 ans et plus.

ISBN 978-2-89435-490-2

1. Richard, Maurice, 1921-2000 - Ouvrages pour la jeunesse. 2.
Joueurs de hockey - Québec (Province) - Biographies - Ouvrages
pour la jeunesse. I. Berthiaume, Pierre, 1956-   . II. Titre. III.
Collection: Connais-tu?.

GV848.5.R5M46 2010      j796.962092      C2010-942041-1

*Collaboration spéciale:* Alain M. Bergeron
*Révision linguistique:* Paul Lafrance
*Conception graphique (couverture):* Céline Forget
*Infographie:* Marie-Ève Boisvert

Le Conseil des Arts du Canada
The Canada Council for the Arts

SODEC
Québec

Patrimoine      Canadian
canadien        Heritage

La publication de cet ouvrage a été réalisée grâce au soutien
financier du Conseil des Arts du Canada et de la SODEC.

De plus, les Éditions Michel Quintin reconnaissent l'aide
financière du gouvernement du Canada par l'entremise du
Fonds du livre du Canada pour leurs activités d'édition.

Gouvernement du Québec – Programme de crédit d'impôt
pour l'édition de livres – Gestion SODEC

ISBN 978-2-89435-490-2
Dépôt légal –Bibliothèque et Archives nationales du Québec, 2010
          Bibliothèque et Archives Canada, 2010

Éditions Michel Quintin
C.P. 340, Waterloo (Québec)
Canada J0E 2N0
Tél.:    450 539-3774
Téléc.: 450 539-4905
editionsmichelquintin.ca

10 - G A - 1

Imprimé au Canada

Maurice a quatre ans lorsqu'il reçoit ses premiers patins.

Le jeune Montréalais ne sait pas encore qu'il deviendra une grande vedette du hockey.

À six ans, il commence à pratiquer son sport favori sur un étang gelé, près de la maison.

Il va même souvent à l'école en patinant avec ses amis.

Pee-wee, bantam, midget...
Maurice gravit les échelons du hockey amateur

en pratiquant son coup de patin et en développant sa force musculaire.

À 16 ans, tout en suivant des cours pour devenir machiniste, le robuste adolescent joue dans cinq équipes différentes, six ou sept soirs par semaine.

L'année suivante, il marque 133 des 144 buts de son équipe au parc Lafontaine !

Il perfectionne son jeu d'année en année. Le 21 octobre 1942, le jeune homme de 21 ans est enfin repêché par les Canadiens de Montréal.

Maurice n'a pas de chance... Des fractures aux deux chevilles et à un poignet l'empêchent de terminer cette première saison.

Certains trouvent le jeune hockeyeur trop fragile et le surnomment même *Bones* (« Les Os »).

L'année suivante cependant, Maurice Richard
montrera de quel bois il se chauffe. Passant d'ailier
gauche à ailier droit, il est jumelé à deux autres

fougueux attaquants, Elmer Lach (au centre) et Toe Blake (à l'aile gauche), et forme avec eux la célèbre *Punch Line* (la ligne « coup de poing »).

Maurice demande à son entraîneur le chandail numéro **9**, en l'honneur de sa première fille qui vient de naître et pèse **9** livres (environ 4 kilos).

Maurice et Lucille, sa jeune épouse, auront 7 enfants en tout.

Pendant un exercice où Maurice file à toute vitesse et déjoue tous ses adversaires, un de ses coéquipiers lance: «Attention, voilà le Rocket!»

Décollant à une vitesse fulgurante, Maurice peut rapidement atteindre 50 kilomètres à l'heure.

Le 23 mars 1944, le Rocket compte 5 buts sur 5 lancers, établissant ainsi un record.

Ce soir-là, il reçoit les trois étoiles du match! Maurice accomplira beaucoup d'autres prouesses pendant sa carrière.

À sa 3e saison avec les Canadiens, Maurice continue d'impressionner. Un soir qu'un très gros défenseur s'accroche à lui pour l'arrêter dans sa lancée,

le Rocket transporte le poids lourd sur son dos
jusqu'au filet, déjoue le gardien et compte!

Un jour enneigé de décembre, la famille Richard déménage. Sans arrêt, Maurice monte et descend les escaliers, chargé comme un mulet.

Ce soir-là, avant la partie, il avertit ses coéquipiers de ne pas trop compter sur lui. Il récolte pourtant 5 buts et 3 passes !

Le 25 février 1945, la foule acclame le Rocket pendant 10 minutes et lance sur la patinoire couvre-chaussures, programmes et bouteilles

dans un vacarme assourdissant. C'est que Maurice vient de battre un nouveau record avec son 45e but de la saison.

Maurice Richard devient vite l'idole des Canadiens français, celui qui réussit à en imposer.

À cette époque-là, les francophones ont souvent les emplois les moins bien payés et se sentent opprimés. Maurice représente pour eux le succès et la force.

Le héros taciturne au caractère bouillant ne cherche pas la bataille, mais répond toujours lorsqu'on le provoque.

Comme il est un excellent compteur, les adversaires cherchent souvent à l'arrêter et même à le blesser.

Plusieurs trouvent que les arbitres sont injustes avec lui et croient que c'est parce qu'il est un Canadien français.

Le Rocket récolte beaucoup de punitions, alors que ses assaillants s'en tirent souvent sans sanctions.

Malgré de multiples blessures, Maurice continue à accumuler les exploits.

À de nombreuses reprises, il sera nommé Athlète de l'année par plusieurs revues, journaux et organismes prestigieux.

Mais les relations sont de plus en plus tendues avec le président de la Ligue nationale de hockey,

Clarence Campbell, que les joueurs francophones
accusent souvent de faire preuve de discrimination
à leur égard.

Un soir de mars 1955, les choses vont sérieusement s'envenimer. Au cours d'une partie à Boston, Maurice reçoit un coup de bâton qui le blesse à la tempe.

Le sang gicle. Le Rocket réplique et engage le combat. Dans la mêlée, il frappe un arbitre.

Clarence Campbell décide de suspendre Maurice pour le reste de la saison, y compris les éliminatoires qui vont bientôt commencer.

44

À Montréal, les journalistes et les nombreux partisans sont en furie et considèrent la punition beaucoup trop sévère.

Deux jours plus tard, une partie est jouée à Montréal. Les alentours du Forum sont bondés de partisans mécontents.

Malgré la foule hostile, Clarence Campbell se
présente à la partie. Il se fait lancer des œufs, des
tomates, et se fait même assaillir par un partisan.

Une bombe lacrymogène est lancée. La partie est interrompue. L'équipe de Detroit gagne par défaut.

À l'extérieur, c'est l'émeute. Des vitres de magasins sont fracassées, des autos sont renversées.

Le peuple se révolte contre l'injustice qu'il ressent.

Le lendemain, Maurice s'adresse à ses partisans à la radio pour les inciter au calme

et les assurer qu'il sera de retour l'année suivante.

La saison qui suit, Maurice est heureux de l'arrivée chez les Canadiens de son petit frère Henri.

Celui-ci deviendra lui aussi un joueur étoile et on le surnommera « Pocket Rocket ».

Les Canadiens remporteront la coupe Stanley cinq années de suite. Maurice est choisi capitaine par ses coéquipiers, qui le voient comme

un leader incontestable. Il fête son 500$^e$ but en carrière, un autre record pour la Ligue.

En 1960, le Rocket sent que l'heure de la retraite a sonné. En son honneur, le chandail numéro 9 est retiré avant la première partie de la saison.

Maurice Richard est intronisé au Temple de la renommée dès 1961.

Maurice « Rocket » Richard a été et est encore une inspiration pour tous les joueurs de hockey, petits et grands.

On parlera de ses exploits pour bien des générations à venir.

Une légende veut que les fantômes d'anciennes vedettes des Canadiens encouragent les joueurs de leur équipe pendant leurs parties à domicile.

Depuis son décès en l'an 2000, le Rocket s'est-il joint
à ces drôles de partisans ?